Chefs-d'œuvre de la

National Gallery

Londres

CHEFS-D'ŒUVRE DE LA

NATIONAL GALLERY

LONDRES

Introduction de Neil MacGregor
Texte de Erika Langmuir

EDITIONS ABBEVILLE
NEW YORK PARIS LONDRES

Première de couverture : Jan Vermeer, *Jeune Femme debout à son virginal*, vers 1670, détail. Voir p. 207.

Quatrième de couverture : Piero della Francesca (vers 1415/1420-1492), *Le Baptême du Christ*, années 1450. Voir p. 146.

Tranche : Georges Seurat, *Une Baignade, Asnières*, 1884, détail. Voir p. 276.

Frontispice : Bartolomé Bermejo, *Saint Michel triomphant du Démon, avec le donateur Don Antonio Juan*, 1468, détail. Voir p. 55.

Page 8 : Vue extérieure de la National Gallery.

Page 17 : Vue intérieure de la National Gallery.

Page 18 : Sandro Botticelli, *Vénus et Mars*, vers 1485, détail. Voir p. 66.

Page 80 : Bronzino, *Allégorie avec Vénus et Cupidon*, probablement 1540-1550, détail. Voir p. 134.

Page 146 : Rembrandt, *Saskia van Uylenburgh en costume arcadien*, 1635, détail. Voir p. 178.

Page 212 : Claude Monet, *La Gare Saint-Lazare*, 1877, détail. Voir p. 270.

SOMMAIRE

La National Gallery de Londres offre, comme nul autre musée, un aperçu d'ensemble de la peinture européenne. Non seulement parce que sa collection est quantitativement assez resserrée et parce que, comme on le verra dans ce volume, elle renferme nombre de tableaux universellement connus. Elle est, par-dessus tout, admirablement équilibrée. En guère plus d'une heure, le visiteur va de Giotto et du Florence de la première Renaissance à Cézanne, à la genèse du cubisme et au Paris du début de ce siècle. Entre-temps, il a pu traverser toutes les grandes écoles européennes et voir les œuvres des plus grands maîtres : Van Eyck, Léonard de Vinci et Caravage, Botticelli et Turner, Piero della Francesca, Rembrandt et Van Gogh.

Les tableaux, acquis par le Parlement ou offerts à la nation, ont été groupés dans une double intention. D'une part il fallait montrer par les meilleurs exemples l'évolution et les transformations subies par l'art occidental. La collection ne privilégie aucun pays particulier (et surtout pas l'Angleterre !), mais fait sentir à quel point, par le perpétuel passage des œuvres d'une frontière à une autre, l'Europe est, au moins dans le domaine de la peinture, unie depuis des siècles. Aller directement, à Trafalgar Square, de Titien à Rubens et à Velazquez, c'est prendre aussitôt conscience que les artistes tant italiens, flamands qu'espagnols constituent une seule et indissociable tradition. La collection est conçue afin de rendre ces liens tangibles.

En deuxième lieu et surtout, la collection est située en plein cœur de la ville, elle est ouverte tous les jours et libre d'accès : son rôle est de fournir à la population active de Londres et aux visiteurs étrangers le bonheur de regarder quelques-uns des plus beaux tableaux qui aient jamais été peints. Des centaines de milliers de Londoniens viennent régulièrement pour revoir une œuvre favorite, ne serait-ce que quelques minutes, le temps de s'abriter de la pluie. Les œuvres que présente ce livre font partie de leur vie intime. Mais la collection n'est pas destinée seulement à eux ; chaque année, plus de quatre millions de visiteurs, venus du monde entier, franchissent nos portes.

J'espère que le présent lecteur s'y trouvera bientôt. Dans l'intervalle, ce livre de poche lui donne un assez juste avant-goût de ce qu'il verra au musée. Qu'il feuillette à son gré, puis qu'il vienne, s'il le peut, contempler les œuvres réelles. Elles ne le décevront pas.

Neil MacGregor
directeur

Introduction

Comparée à d'aussi vastes musées que sont, en Europe, le Louvre, le Prado ou l'Ermitage, la National Gallery de Londres peut sembler de dimensions modestes. Elle ne possède guère plus de deux mille tableaux, et, à l'exception d'une poignée d'objets légués ou prêtés pour la comparaison ou la décoration, aucune œuvre d'une autre technique que la peinture. Le nom du musée trompe souvent les visiteurs étrangers. Il ne s'agit pas de la collection nationale d'art anglais, telle qu'on peut la voir à la Tate Gallery, à Millbank, mais de chefs-d'œuvre représentant toutes les écoles de la peinture occidentale, du milieu du XIIIe siècle aux premières années du XXe. Toutes les œuvres de la collection sont généralement présentées au public.

Fondé en 1824, donc relativement tardif au sein des collections publiques européennes, le musée doit également son originalité au fait qu'il ne provient ni d'une collection princière ni de butins de guerre. (L'ample Collection royale, reflet du goût des grands mécènes royaux qui se sont succédés, appartient à la Couronne et est abritée dans les palais royaux.) La National Gallery n'est pas une institution d'Etat, mais un mélange bien spécifique de fonds publics et privés, avec à sa tête des Trustees, dont le comité est choisi par le Premier ministre sur une liste dressée par leur assemblée, qui élit son propre président. L'ouverture du musée a été décidée par acte parlementaire, après l'achat (grâce au remboursement inespéré d'une dette de guerre de l'Autriche) de la collection privée de John Julius Angerstein (1735-1823), financier, autodidacte, philanthrope et collectionneur, né à Saint-Pétersbourg. Le majestueux retable de Sebastiano del Piombo, *La Résurrection de Lazare* (p. 108), qui porte le n° 1 sur le catalogue des acquisitions du musée, était l'un des phares de cette collection.

Parmi les promoteurs de l'idée de la National Gallery, certains formaient l'espoir qu'elle entraînerait, en rehaussant la peinture anglaise, la floraison d'une grande école nationale ; depuis 1768, les artistes pouvaient bénéficier d'une formation à la Royal Academy mais ils ne pouvaient contempler, afin de rivaliser avec elles, les œuvres des grands maîtres. Toutefois, pour la plupart des défenseurs du projet, le but essentiel était d'offrir le plaisir de la peinture – «divertissement ennoblissant» – à ceux qui ne pouvaient par eux-mêmes avoir de collection personnelle. La National Gallery devait être le musée privé de tous les habitants du pays, qu'il fallait encourager à venir aussi souvent qu'ils le désiraient. D'où la constante politique d'acquérir des œuvres de la plus haute qualité, et de laisser l'entrée gratuite au public, tout comme de faire du musée une institution pédagogique au sens large du terme : les deux aspects faisaient partie du projet initial. Il est bien peu de collections nationales en Europe, voire aucune, qui comptent parmi leurs visiteurs un taux aussi élevé d'autochtones ; aucune n'en a autant qui viennent regarder des tableaux en rentrant chez eux le soir, ou pendant une demi-heure de libre, qui suivent les conférences à l'heure du déjeuner, le week-end, ou s'inscrivent à toutes les journées d'étude. Même pendant la seconde guerre, quand, par précaution, les tableaux furent remisés dans des ardoisières au Pays de Galles, la population obtint le retour chaque mois d'un tableau, qui était «le tableau du mois». Bien des lettres de reconnaissance, conservées dans les archives du musée, attestent le succès de cette politique qui donnait une nourriture spirituelle à des hommes et des femmes en permission et à des civils, dans une ville soumise, la nuit, aux bombardements.

Aux tableaux Angerstein de la toute nouvelle National Gallery, encore logée, en 1824, dans ce qui avait été la demeure du collectionneur, 100 Pall Mall, s'ajoutèrent ceux de Sir George Beaumont, mécène de Constable, et l'un des grands partisans d'une National Gallery. En 1823, Beaumont avait promis à la nation sa collection, à condition qu'un bâtiment adéquat servît à la présentation et à la conservation des œuvres. Le *Paysage d'automne avec une vue du château de Steen au petit matin*, de Rubens (p. 165) provient de sa collection, et a servi d'inspiration directe pour la fameuse idylle monumentale de Constable, située dans la campagne du Suffolk, l'été, *Le Char à foin* (p. 299), l'un des «six-footers» (tableaux de six pieds, 180 cm environ) auxquelles le peintre travaillait durant les longs hivers londoniens. Exposé à Paris en 1824, le tableau devait à son tour influencer les paysagistes français, parmi lesquels Corot, dont plusieurs petites études, peintes en extérieur directement sur le motif, se trouvent aujourd'hui à la National Gallery. Jamais exposées du vivant de l'artiste, mais ardemment recherchées après sa mort, ces œuvres se sont révélées décisives pour les générations postérieures, au premier rang desquelles les impressionnistes (dont nombre d'œuvres ont été données au musée au XXe siècle par le magnat du textile Samuel Courtauld).

Le don généreux de Beaumont fut suivi peu après par un don non moins imposant, celui du révérend Holwell Carr, qui offrit au musée ses tableaux sous les mêmes conditions. Son legs inclut, entre autres, la *Femme se baignant dans un ruisseau* de Rembrandt (p. 181), d'une ensorcelante beauté, parmi la vingtaine d'œuvres du maître que peuvent admirer chaque année les quelque cinq millions de visiteurs actuels. Frank Auerbach, dont les dessins et les peintures d'après Rubens et Rembrandt ont été exposés en 1995 au musée, est justement l'un de ces artistes contemporains qui puisent dans ce lieu leur inspiration, confirmant la pertinence des idéaux de ses fondateurs et de tant de ses bienfaiteurs.

En 1838, la National Gallery est transférée dans des locaux spécialement aménagés à Trafalgar Square, la «plaque tournante de Londres», accessible au plus grand nombre de Londoniens et préféré pour cette raison à des endroits plus salubres. Pendant les trente années qui suivent, le musée partage avec la Royal Academy le bâtiment si critiqué de William Wilkins, qui n'était pas encore devenu «l'ami très cher» des années 1980 ! Par legs, don et achat, la collection continue sa progression rapide, nécessitant les agrandissements des années 1870 dus à E. M. Barry, qui affectent tout le bloc derrière la partie est du bâtiment primitif. Les ajouts de Barry viennent d'être rendus, par restauration, à leur splendeur victorienne, particulièrement appropriée aux tableaux des XVIIIe et XIXe siècles qui s'y trouvent. De nouvelles galeries ont été créées au nord du portique en 1887 ; en 1911 le bâtiment s'est étendu à l'ouest. Des salles ont été ajoutées, des cours ont été recouvertes à la fin des années 1920, au début des années 1930 et en 1961. Les galeries nord, qui permettent une entrée supplémentaire sur Orange Street, ont été complétées en 1975 et seront très prochainement restructurées.

Titien (actif vers 1506 - mort en 1576)
La Mort d'Actéon, vers 1565
Huile sur toile, 178,4 x 198,1 cm

L'aile Sainsbury, construite grâce à des dons privés et conçue par l'architecte américain Robert Venturi pour loger les peintures les plus anciennes et les plus fragiles dans des conditions climatiques et sous éclairage optimums, a été inaugurée en 1991, à l'endroit d'un ancien magasin de meubles à l'ouest du bâtiment principal. Outre les peintures à l'étage principal, l'aile comprend une suite de galeries pour les expositions temporaires, un théâtre pour des conférences et diverses manifestations, et la Micro Gallery, toute récente salle informatique destinée au public.

L'historique de la présentation des collections reflète fidèlement l'évolution du goût et de la pensée qui soustend l'histoire de l'art et la muséologie en Angleterre et ailleurs. Jusqu'en 1991, les tableaux étaient, pour l'essentiel, accrochés par «écoles» nationales et locales. Un guide de 1908 définissait une «école» comme «un groupe d'artistes travaillant sous l'influence d'un maître, lequel introduit des innovations artistiques». Mais le concept a aussi été défini en accord avec des notions de «caractère national», généralement obsolètes, car la carte ancienne de l'Europe ne correspondait pas aux actuelles divisions nationales. Depuis 1991, les tableaux présentés à l'étage principal sont répartis chronologiquement en quatre ailes : la peinture de 1260 à 1510 dans l'aile Sainsbury ; de 1510 à 1600 dans l'aile ouest ; de 1600 à 1700 au nord ; et de

1700 à 1920 à l'est, divisions que suivront les quatre chapitres de ce livre. Le public a également accès à l'étage inférieur du bâtiment principal, plus dense, réservé aux œuvres moins importantes – il y a un incessant va-et-vient de tableaux entre les étages principal et inférieur, au gré des prêts faits à d'autres établissements, au fur et à mesure que les réputations se font et se défont, que les attributions changent et que la qualité des tableaux est révélée par nettoyage ou restauration. L'avantage majeur de l'accrochage novateur de l'étage principal est de rendre tangible, pour la première fois peut-être dans un musée, le caractère international de l'art et de la civilisation en Europe, car les peintres, les tableaux, les commanditaires, les idées et les inventions circulaient plus vite que l'on serait tenté de l'imaginer. C'est cette histoire, d'une tradition séculaire et d'une inlassable soif d'innovation, que l'éclectisme propre à la National Gallery permet de retracer, à travers quelques-uns des plus beaux tableaux qui aient jamais été peints.

Dans l'aile Sainsbury sont groupés les tableaux du début de la Renaissance au nord et au sud des Alpes, peints entre 1260 et 1510 ; à cette époque, l'Europe est pour l'essentiel un mélange de cités-Etats et de principautés ayant fait allégeance à des féodaux, des rois ou au Saint Empereur romain. Les cours, grandes consommatrices d'œuvres d'art, communiquent entre elles et s'allient souvent dans des intérêts et des partis à l'échelle européenne.

Toutes les institutions de l'Europe occidentale reconnaissent l'autorité spirituelle du pape, évêque de Rome, à la tête de l'Eglise catholique (c'est-à-dire, étymologiquement, universelle), pour laquelle la plupart des œuvres ont été créées. La même époque voit la formation des traditions artistiques locales, nées à la fois des corporations et des liens familiaux. La plupart des salles de l'aile Sainsbury sont consacrées à la peinture produite dans des centres italiens, illustrant la tendance générale de la collection, à laquelle répond le style architectural du bâtiment, inspiré de la pureté des intérieurs de la Renaissance florentine.

Presque toutes les œuvres sont de dévotion : qu'il s'agisse de retables pour des églises ou de fragments de retables, comme l'imposante *Vierge à l'Enfant* de Masaccio (p. 34), panneau central de son Retable de Pise de 1426, et le matinal *Baptême du Christ*, de Piero della Francesca (p. 46), des années 1450 – ou que les images aient servi à la méditation pieuse et à la prière, chez soi ou en voyage. On a de remarquables exemples de retables portatifs avec le précieux triptyque de Duccio, de 1315 environ, *La Vierge à l'Enfant avec saints Aure et Dominique* (p. 24), très probablement commandé par un dominicain, cardinal d'Ostie, et le somptueux *Diptyque Wilton* (p. 26), exécuté dans les années 1390 dans un atelier inconnu pour Richard II d'Angleterre, qui y est représenté. Le fait que ce petit retable pliant ait été peint à la tempera et luxueusement décoré à la feuille d'or (techniques associées à l'Italie) sur du chêne (support propre à l'Europe du nord) atteste le caractère international de l'art de cour.

Si ces objets démontrent aussi l'étroite alliance entre piété et sens du faste, le petit *Saint Jérôme dans son cabinet de travail* du Sicilien Antonello de Messine (p. 63) porte témoignage d'un amour croissant, un peu plus tard, pour la beauté purement plastique. Peint à l'huile vers 1475, probablement à Venise et pour un collectionneur de cette ville, le tableau ne cherche plus à évoquer, par son aspect, une pièce d'orfèvrerie émaillée, mais privilégie le rendu illusionniste de la réalité : vue d'un intérieur en trois dimensions, baignant en lumière naturelle, avec un arrière-fond suggérant l'infini d'un paysage.

Parmi les tableaux profanes de l'aile Sainsbury, la plupart sont des portraits. On peut y suivre comme un fil directeur l'évolution vers le portrait naturaliste, conception qui, de même que l'usage de l'huile, est née en Flandres. L'exemple flamand le plus illustre, le *Portrait des époux Arnolfini* (p. 37), un marchand de Lucques et sa femme, peint par Jan van Eyck en 1434, est également une éclatante démonstration des techniques qu'Antonello devait reprendre à son compte : le recours à des huiles translucides, séchant lentement, pour représenter le jeu de la lumière avec les divers matériaux, du pelage soyeux du petit chien aux grains de cristal d'un rosaire.

De Bermejo, le *Saint Michel triomphant du Démon avec le donateur Don Antonio Juan* (p. 55), acquis en 1995, rassemble tous les thèmes que nous avons évoqués : retable de grand format exécuté en 1468 pour l'église de San Miguel de Tous, dans la province de Valence, peint à l'huile dans le style flamand par un Espagnol, il intègre le portrait strictement réaliste du donateur en adoration devant le saint.

Un autre genre représenté dans l'aile Sainsbury est la décoration domestique profane, inspirée en Italie par la littérature vernaculaire ou l'histoire, en écho à un nouvel intérêt pour l'Antiquité gréco-romaine. *La Bataille de San Romano* (p. 42) de Paolo Uccello, des années 1450, l'un des trois panneaux destinés aux murs du palais Médicis de Florence, célèbre à la fois une victoire de la ville et la science récente de la perspective linéaire, tout en recréant le charme poétique de la tapisserie nordique. Le *Vénus et Mars* de Sandro Botticelli (p. 66), avec ses figures allongées, répondant à la fonction originelle de ce panneau rectangulaire, sur une banquette ou sur un coffre, a dû faire partie d'un mobilier de mariage. Son message éternel, «l'amour vainc la guerre», ne laisse pas d'être ironique : ni le bourdonnement des guêpes ni la conque dont on lui souffle dans l'oreille ne peuvent réveiller Mars, épuisé par l'amour.

La visite de l'aile Sainsbury culmine avec les gracieuses premières œuvres de Raphaël et celles que Léonard de Vinci a exécutées à Milan : le fameux «carton», dessin à la taille réelle de *La Vierge à l'Enfant avec sainte Anne et saint Jean-Baptiste* (p. 74), et la deuxième version de *La Vierge aux rochers* (l'autre étant au Louvre) (p. 75). L'ampleur de leurs rythmes, leurs formes idéalisées signent la fin de la haute Renaissance et le début de la Renaissance classique, qui occupe l'aile ouest.

Giotto di Bondone (1266/1267-1337)
La Pentecôte, vers 1306-1312
Tempera sur peuplier, 45,5 x 44 cm

Duccio (actif vers 1278 ; mort en 1318-1319)
La Vierge à l'Enfant avec saints Aure et Dominique, vers 1315
Tempera sur peuplier, panneau central : 42,5 x 34,4 cm,
panneaux latéraux : 42 x 16,5 cm chacun

Maître de la Bienheureuse Claire (actif au milieu XIVᵉ siècle)
Vision de la Bienheureuse Claire de Rimini, vers 1340
Tempera sur bois, 55,9 x 61 cm

Ecole anglaise ou française (?)
Le Diptyque Wilton, vers 1395-1399
Peinture à l'œuf sur chêne, chaque panneau : 53 x 37 cm

Gentile da Fabriano (vers 1385-1427)
La Vierge à l'Enfant avec des anges (Madone Quaratesi), 1425
Tempera sur peuplier, 139,9 x 83 cm
Collection royale, © 1996 Sa Majesté la reine Elizabeth II   27

Robert Campin (1378/1379-1444)
Un homme et *Une femme*, probablement vers 1430
Peinture à l'œuf et à l'huile sur chêne, 40,7 x 27,9 cm chacun

Lorenzo Monaco (avant 1372–1422 au plus tôt)
Le Couronnement de la Vierge entourée de saints, probablement 1407–
1409. Tempera sur peuplier, panneau central : 217 x 115 cm,
30 panneau droit : 179 x 101,5 cm, panneau gauche : 181,5 x 10cm

Maître de sainte Véronique (actif au début du XVe siècle)
Sainte Véronique, vers 1420
Huile sur noyer, 44,2 x 33,7 cm

Rogier van der Weyden (vers 1399-1464)
La Madeleine lisant, probablement vers 1435
Huile sur bois transposée sur acajou, 61,6 x 54,6 cm

Rogier van der Weyden (vers 1399-1464) et atelier
L'Exhumation de saint Hubert, vers 1440
Huile sur chêne, 87,9 x 80,6 cm

Masaccio (1401-probablement 1428)
La Vierge à l'Enfant, 1426
Tempera sur peuplier, 135,5 x 73 cm

Sassetta (1392?–1450)
Saint François recevant les stigmates, 1437–1344
Tempera sur peuplier, 87,5 x 52,5 cm

Jan van Eyck (actif vers 1422 – mort en 1441)
L'Homme au turban, 1433
Huile sur chêne, 33,3 x 25,8 cm

Jan van Eyck (actif vers 1422 – mort en 1441)
Portrait des époux Arnolfini, 1434
Huile sur chêne, 81,8 x 59,7 cm

Stephan Lochner (actif vers 1442 - mort en 1451)
Saints Matthieu, Catherine d'Alexandrie et Jean l'Evangéliste,
vers 1445. Huile sur chêne, 68,6 x 58,1 cm

Petrus Christus (actif vers 1444 - mort en 1475-1476)
Portrait de jeune homme, 1450-1460
Huile sur chêne, 35,5 x 26,3 cm

Pisanello (vers 1395–probablement 1455)
La Vision de saint Eustache, milieu du XVe siècle
Tempera sur bois, 54,5 x 65,5 cm

Pisanello (vers 1395–probablement 1455)
La Vierge à l'Enfant avec saint Georges et saint Antoine abbé,
milieu du xvᵉ siècle. Tempera sur peuplier, 47 x 29,2 cm

Paolo Uccello (1397–1475)
La Bataille de San Romano, probablement vers 1450–1460
Tempera sur peuplier, 182 x 320 cm

Paolo Uccello (1397-1475)
Saint Georges et le Dragon, vers 1460
Huile sur toile, 56,5 x 74 cm

Fra Filippo Lippi (vers 1406-1469)
L'Annonciation, fin des années 1450
Tempera sur bois, 68,5 x 152 cm

Giovanni di Paolo (actif vers 1417 - mort en 1482)
Saint Jean-Baptiste se retirant au désert, probablement vers 1453
Tempera sur peuplier, 31,1 x 38,8 cm

Piero della Francesca (vers 1415/1420-1492)
Le Baptême du Christ, années 1450
Tempera sur peuplier, 167 x 116 cm

Piero della Francesca (vers 1415/1420-1492)
La Nativité, 1470-1475
Huile sur peuplier, 124,4 x 122,6 cm

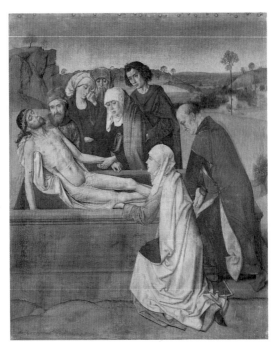

Dieric Bouts (1400?–1475)
La Mise au tombeau, probablement années 1450
Colle de peau sur lin, 90,2 x 74,3 cm

Dieric Bouts (1400?-1475)
Portrait d'homme, 1462
Huile sur chêne, 31,8 x 20,3 cm

Cosimo Tura (avant 1431-1495)
Figure allégorique, probablement 1455-1460
Huile sur peuplier, 116,2 x 71,1 cm

Cosimo Tura (avant 1431-1495)
Saint Jérôme, probablement vers 1470
Tempera à l'œuf et à l'huile sur peuplier, 101 x 57,2 cm

Alesso Baldovinetti (vers 1426-1499)
Portrait de dame en jaune, probablement 1465
Tempera et huile sur bois, 62,9 x 40,6 cm

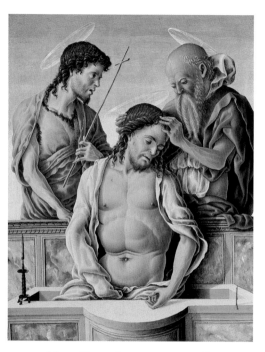

Marco Zoppo (vers 1432-vers 1478)
Le Christ mort soutenu par des saints, vers 1465
Tempera sur bois, 26,4 x 21 cm

Maître du Portrait Mornauer
(probablement actif vers 1460-1488)
Portrait d'Alexandre Mornauer, vers 1464-1488
Huile sur bois, 45,2 x 38,7 cm

Bartolomé Bermejo (actif vers 1460-1498)
Saint Michel triomphant du Démon,
avec le donateur Don Antonio Juan, 1468
Huile et or sur bois, 179 x 81,9 cm

Anonyme de Souabe
Portrait d'une femme de la famille Hofer, vers 1470
Huile sur sapin argenté, 53,7 x 40,8 cm

Hans Memling (actif vers 1465 – mort en 1494)
La Vierge à l'Enfant avec saints et donateurs (Triptyque Donne),
probablement vers 1475
Huile sur chêne, l'ensemble : 71,1 x 131,5 cm

Filippino Lippi (vers 1457-1504)
La Vierge à l'Enfant avec saints Jérôme et Dominique, vers 1485
Huile et tempera sur peuplier, 203,2 x 186,1 cm

Lorenzo Costa (vers 1459/1460-1535)
Un concert, vers 1485-1495
Huile sur peuplier, 95,3 x 75,6 cm

Andrea Mantegna (vers 1430/1431–1506)
Le Christ au jardin des Oliviers, vers 1460
Tempera sur bois, 62,9 x 80 cm

Andrea Mantegna (vers 1430/1431-1506)
L'Introduction du culte de Cybèle à Rome, 1505-1506
Colle de peau sur lin, 73,7 x 268 cm

Antonio (vers 1432–1498) et
Piero (vers 1441–avant 1496) del Pollaiuolo
Le Martyre de saint Sébastien, achevé en 1475
Huile sur peuplier, 291,5 x 202,6 cm

Antonello de Messine (actif vers 1456 – mort en 1479)
Saint Jérôme dans son cabinet de travail, vers 1475
Huile sur tilleul, 45,7 x 36,2 cm

Carlo Crivelli (vers 1430/1435-vers 1494)
L'Annonciation avec saint Emidius, 1486
Peinture à l'œuf et à l'huile sur toile
(à l'origine sur bois), 207 x 146,7 cm

Carlo Crivelli (vers 1430/1435-vers 1494)
La Madonna della Rondine
(La Madone de l'hirondelle), vers 1490-1492
Peinture à l'œuf et à l'huile sur peuplier, 150,5 x 107,3 cm

65

Sandro Botticelli (vers 1445-1510)
Vénus et Mars, vers 1485
Tempera et huile sur peuplier, 69,2 x 173,4 cm

Sandro Botticelli (vers 1445-1510)
«Nativité mystique», 1500
Huile sur toile, 108,6 x 74,9 cm

Giovanni Bellini (actif vers 1459 - mort en 1516)
La Madone à la prairie, vers 1500
Peinture à l'huile et à l'œuf sur panneau synthétique
(à l'origine sur bois), 67,3 x 86,4 cm

Giovanni Bellini (actif vers 1459 – mort en 1516)
Le Doge Leonardo Loredan, 1501-1504
Huile sur peuplier, 61,6 x 45,1 cm

Pérugin (vivant en 1469 – mort en 1523)
Vierge à l'Enfant avec saint Michel et saint Raphaël, vers 1496–1500
Huile sur peuplier, panneau central : 113 x 64 cm,
panneau gauche : 114 x 56 cm, panneau droit : 113 x 56 cm

Piero di Cosimo (vers 1462–après 1515)
Satyre pleurant une nymphe, vers 1495
Huile sur peuplier, 65,4 x 184,2 cm

Maître du Retable de saint Barthélemy
(actif vers 1470-vers 1510)
Saints Pierre et Dorothée, probablement 1505-1510
Huile sur chêne, 125,7 x 71,1 cm

Attribué à Albrecht Dürer (1471-1528)
Le Père du peintre, 1497
Huile sur tilleul, 51 x 40,3 cm

Léonard de Vinci (1452–1519)
La Vierge à l'Enfant avec sainte Anne et saint Jean-Baptiste (carton),
peut-être vers 1499-1500. Charbon et craie noire et blanche
sur papier teinté, 141,5 x 104,6 cm

Léonard de Vinci (1452-1519)
*La Vierge avec le petit saint Jean adorant le Christ enfant accompagné
par un ange («La Vierge aux rochers»)*, vers 1508
Huile sur bois, 189,5 x 120 cm

Quinten Massys (1465-1530)
Une vieille femme grotesque, vers 1525-1530
Huile sur chêne, 64,1 x 45,4 cm

Lucas Cranach l'Ancien (1472-1553)
Portrait de Jean-Frédéric le Magnanime, 1509
Huile sur bois, 42 x 31,2 cm

Lucas Cranach l'Ancien (1472-1553)
Cupidon se plaignant à Vénus, probablement
début des années 1530
Huile sur bois, 81,3 x 54,5 cm

Lucas Cranach l'Ancien (1472-1553)
La Charité, 1537-1550
Huile sur hêtre, 56,3 x 36,2 cm

La reprise du mécénat pontifical au XVIe siècle fait une fois de plus de Rome le centre artistique dominant. Au gré des découvertes d'œuvres antiques, et de la passion renouvelée avec laquelle on les étudie, l'Antiquité, tout comme les œuvres florentines et milanaises de Léonard de Vinci, dicte de nouveaux idéaux de monumentalité, d'expressivité et d'élégance à l'art occidental. Certains des plus grands artistes italiens de la génération suivante ici présents – Raphaël, Michel-Ange, Corrège – révèlent leur dette vis-à-vis de Léonard de Vinci et de l'antique par le nouveau souffle et l'échelle de leurs figures, par la complexité de leurs attitudes et de la composition, par la douceur du rendu des visages et de l'expression, et par une nouvelle délicatesse du modelé, où les transitions insensibles voilent les passages de l'ombre la plus intense à la lumière.

Tout en travaillant à l'huile, Léonard était resté fidèle aux traditions florentines de la fresque et de la tempera, fondées sur la ligne et le traitement tonal, où la couleur vient en second, comme un ornement. Cette méthode picturale se perçoit clairement dans deux panneaux inachevés de Michel-Ange, *La Mise au tombeau* (p. 89) et *La Madone de Manchester* (p. 88). D'un autre côté, la peinture vénitienne suit une voie indépendante, peut-être due à sa tradition bien spécifique de la mosaïque. À la suite de Giovanni Bellini et de son élève Giorgione, dont le poétique *Tramonto (Le Coucher de soleil)*, figure ici (p. 93), les Vénitiens traitent la couleur comme la donnée première de l'expérience visuelle et sensuelle. Leurs formes sont définies par les passages entre les couleurs, plus que par le contour linéaire. Les différences tonales ne sont pas obtenues par les ombres en noir et blanc, mais travaillées directement dans la couleur. La composition évolue au fur et à mesure du processus pictural, car elle dépend de l'ajustement constant des relations chromatiques, ce que rendait possible l'usage de l'huile. Venise, grande puissance maritime, jouit d'une industrie navale des plus développées, et ses artistes abandonnent peu à peu le panneau au profit de la toile, qui est de la même matière que les voiles des navires.

L'évolution de Titien, le plus grand et le plus prolifique des Vénitiens, pousse la technique de l'huile dans un sens toujours plus audacieux et expressif. Le grain de la toile, les gestes du peintre avec le pinceau et ses doigts mêmes, font vibrer la surface de ses derniers tableaux dont ils décuplent la charge émotionnelle. On peut suivre ici cette progression, depuis les œuvres de jeunesse, tels la *Sainte Famille avec un berger* (p. 118) de 1510 environ et le giorgionesque *Noli me tangere* (p. 119) de 1510-1515 ; en passant par les mythologies et les éclatants portraits des années de maturité ; jusqu'à la tardive *Mort d'Actéon*, sans doute inachevée (p. 14), de 1565 environ, avec son scintillement de zébrures, de mouchetures et de taches qui, à distance, se fondent miraculeusement dans l'image. Paul Véronèse, Vénitien d'adoption qui incarne à merveille l'esprit de la ville, invente un langage plastique où même les zones ombrées de couleur semblent refléter le plein jour. Son tableau vivant *La Famille de Darius devant Alexandre* (p. 142) en est un exemple d'une rare splendeur. L'influence de ces deux artistes allait se propager dans toute l'Europe et se perpétuer au fil des siècles.

La variété de la thématique vénitienne sert d'indice pour l'évolution générale de l'art au XVIe siècle. Des œuvres religieuses continuent d'être commandées ; dans toute l'Europe, la production atteste la vitalité de cette tradition. Avec la force croissante de la nation-État profane et la montée des monarchies absolues, le portrait gagne en importance, comme instrument de pouvoir et objet d'échange diplomatique. De plus en plus, son format se rapproche de la taille réelle du modèle. L'aile ouest du musée abrite ainsi d'admirables portraits dus aux plus grands peintres de l'époque, parmi lesquels le portrait, par Holbein, d'une épouse présumée d'Henry VIII (p. 130), et des œuvres de portraitistes du nord de l'Italie tels Moretto da Brescia et Moroni. L'émancipation des décors mythologiques, du mobilier de petit format vers de grandes surfaces picturales, est une nouveauté encore plus frappante. Les dieux et les héros du paganisme retrouvent vie et exubérance grâce à l'émulation des peintres avec les poètes antiques ; on y puise des exemples des idéaux d'amitié et de magnanimité ; le nu antique est l'occasion d'évocations érotiques non moins que la pierre de touche du raffinement de l'artiste, comme dans l'*Allégorie avec Vénus et Cupidon* de Bronzino, d'une irrésistible séduction (p. 134).

Les collections de peintures, rassemblées pour la délectation esthétique et pour témoigner des hautes aspirations des mécènes, créent une demande pour de nouveaux types iconographiques, comme le paysage «pur». L'aile ouest présente certains des plus anciens exemples, dus à des Flamands et des Allemands. Les belles évocations sur cuivre de petites dimensions d'Adam Elsheimer, enfant du XVIe siècle mais avant-coureur du siècle suivant, introduisent le thème de la nostalgie nordique pour le sud méditerranéen et un âge d'or mythique – thème essentiel des œuvres qui peuplent l'aile nord.

Maître de la vie de la Vierge
(actif dans la deuxième moitié du XVᵉ siècle)
La Conversion de saint Hubert, probablement vers 1480
Huile sur chêne, 123 x 83,2 cm

Ercole de' Roberti (actif vers 1479 - mort en 1496)
Le Christ mort, vers 1490
Tempera sur bois, 17,8 x 13,5 cm

Hieronymus Bosch (vivant en 1474 – mort en 1516)
Le Christ aux outrages, vers 1490-1500
Huile sur chêne, 73,5 x 59,1 cm

Michel-Ange (1475-1564)
La Vierge à l'Enfant avec saint Jean et des anges
(*«La Madone de Manchester»*), probablement vers 1495
Tempera sur bois, 104,5 x 77 cm

Michel-Ange (1475–1564)
La Mise au tombeau, vers 1500–1501
Huile sur bois, 161,7 × 149,9 cm

Jan Gossaert (actif vers 1503 – mort en 1532)
L'Adoration des mages, 1500-1515
Huile sur bois, 177,2 x 161,3 cm

Jan Gossaert (actif vers 1503 – mort en 1532)
Petite Fille, vers 1520
Huile sur chêne, 38,1 x 28,9 cm

Giorgione (actif vers 1506 – mort en 1510)
L'Adoration des mages, 1506-1507
Huile sur bois, 29,8 x 81,3 cm

Giorgione (actif vers 1506 - mort en 1510)
Il Tramonto (Le Coucher de soleil), 1506-1510
Huile sur toile, 73,3 x 91,4 cm

Raphaël (1483–1520)
Allégorie («Vision d'un chevalier»), vers 1504
Tempera sur peuplier, 17,1 x 17,1 cm

Raphaël (1483-1520)
La Vierge à l'Enfant avec saint Jean-Baptiste et saint Nicolas de Bari
(La Madone Ansidei), 1505
Huile sur peuplier, 209,6 x 148,6 cm

Raphaël (1483-1520)
Sainte Catherine d'Alexandrie, vers 1507-1508
Huile sur bois, 71,5 x 55,7 cm

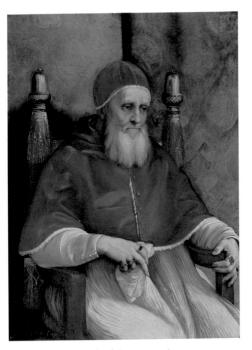

Raphaël (1483-1520)
Le Pape Jules II, 1511-1512
Huile sur bois, 108 x 80,7 cm

Maître de saint Gilles (actif vers 1500)
La Messe de saint Gilles, vers 1500
Peinture à l'huile et à l'œuf sur chêne, 61,6 x 45,7 cm

Hans Baldung Grien (1484/1485-1545)
Trinité et Pietà mystique, 1512
Huile sur chêne, 112,3 x 89,1 cm

Gerard David (actif vers 1484 – mort en 1523),
La Vierge à l'Enfant avec saints et donateur, probablement 1510
Huile sur chêne, 106 x 144,1 cm

Altobello Melone (actif à partir de 1516 – mort avant 1543)
Sur le chemin d'Emmaüs, vers 1516–1520
Huile sur bois, 145,4 x 144,1 cm

Jacopo de' Barbari (actif en 1500 – mort en 1516?)
Epervier, années 1510
Huile sur chêne, 17,8 x 10,8 cm

Attribué à Joachim Patenier (actif vers 1515 – mort vers 1524)
Saint Jérôme dans un paysage de rochers, probablement 1515-1524
Huile sur chêne, 36,2 x 34,3 cm

Andrea del Sarto (1486–1530)
La Vierge à l'Enfant avec sainte Elisabeth et saint Jean-Baptiste,
vers 1513. Huile sur bois, 106 x 81,3 cm

Andrea del Sarto (1486-1530)
Portrait de jeune homme, vers 1517-1518
Huile sur lin, 72,4 x 57,2 cm

Pontormo (1494-1557),
Pharaon rend sa charge au Grand Echanson et fait exécuter le Grand Panetier, probablement 1515. Huile sur bois, 61 x 51,7 cm

Pontormo (1494-1557),
Joseph et Jacob en Egypte, probablement 1518
Huile sur bois, 96,5 x 109,5 cm

Sebastiano del Piombo (vers 1485-1547)
La Résurrection de Lazare, vers 1517-1519
Huile sur toile, 381 x 289,6 cm

Sebastiano del Piombo (vers 1485-1547)
La Vierge à l'Enfant avec saints Joseph,
Jean-Baptiste et un donateur, vers 1519-1520
Huile sur bois, 97,8 x 106,7 cm

Lorenzo Lotto (vers 1480–après 1556)
*Le Physicien Giovanni Agostino della Torre
et son fils, Niccolò*, 1515
Huile sur toile, 84,5 x 67,9 cm

Lorenzo Lotto (vers 1480-après 1556)
Une dame avec un dessin de Lucrèce, vers 1530-1533
Huile sur toile, 95,9 x 110,5 cm

Albrecht Altdorfer (peu avant 1480-1538)
Paysage avec une passerelle, vers 1518-1520
Huile sur vélin sur bois, 41,2 x 35,5 cm

Albrecht Altdorfer (peu avant 1480-1538)
Le Christ prenant congé de sa mère, probablement 1520
Huile sur tilleul, 141 x 111 cm

Palma Vecchio (actif vers 1510 - mort en 1528)
La Blonde, vers 1520
Huile sur bois, 77,5 x 64,1 cm

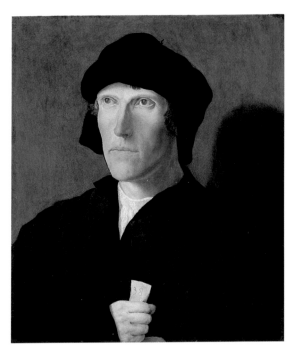

Lucas de Leyde (actif vers 1508 – mort en 1533)
Un homme de trente-huit ans, vers 1521
Huile sur chêne, 47,6 x 40,6 cm

Domenico Beccafumi (1486?-1551)
Marcia, probablement vers 1520-1525
Huile sur bois, 92,1 x 53,3 cm

Dosso Dossi (actif vers 1512 – mort en 1542)
Homme embrassant une femme, probablement vers 1524
Huile sur peuplier, 55 x 75,5 cm

Titien (actif vers 1506 – mort en 1576)
La Sainte Famille avec un berger, vers 1510
Huile sur toile, 99,1 x 139,1 cm

Titien (actif vers 1506 – mort en 1576)
Noli me tangere, probablement 1510-1515
Huile sur toile, 108,6 x 90,8 cm

Titien (actif vers 1506 – mort en 1576)
Portrait de femme, vers 1511
Huile sur toile, 119,4 x 96,5 cm

Titien (actif vers 1506 – mort en 1576)
Portrait d'homme, vers 1512
Huile sur toile, 81,2 x 66,3 cm

Titien (actif vers 1506 – mort en 1576)
Bacchus et Ariane, 1522–1523
Huile sur toile, 175,2 x 190,5 cm

Titien (actif vers 1506 – mort en 1576)
La Famille Vendramin, 1543–1547
Huile sur toile, 205,7 x 301 cm

Corrège (vers 1494 – mort en 1534)
La Madone à la corbeille, vers 1524
Huile sur bois, 33,7 x 25,1 cm

Corrège (vers 1494 – mort en 1534)
Vénus avec Mercure et Cupidon («L'Education de l'Amour»),
vers 1525. Huile sur toile, 155,6 x 91,4 cm

Parmesan (1503-1540)
La Vierge à l'Enfant avec saints Jean-Baptiste et Jérôme, 1526-1527
Huile sur peuplier, 342,9 x 148,6 cm

Gian Girolamo Savoldo (né vers 1480-1485 - actif 1508-1548)
Sainte Marie-Madeleine approchant le sépulcre, probablement
1530-1548. Huile sur toile, 86,4 x 79,4 cm

Hans Holbein le Jeune (1497/1498-1543)
Dame avec un écureuil et un étourneau, vers 1526-1528
Huile sur chêne, 56 x 38,8 cm

Hans Holbein le Jeune (1497/1498-1543)
Jean de Dinteville et Georges de Selve (« Les Ambassadeurs »), 1533
Huile sur chêne, 207 x 209,5 cm

Hans Holbein le Jeune (1497/1498-1543)
Christine de Danemark, duchesse de Milan, probablement 1538
Huile sur chêne, 179,1 x 82,6 cm

Moretto da Brescia (vers 1498-1554)
Portrait de jeune homme, vers 1542
Huile sur toile, 113,7 x 94 cm

Marinus van Reymerswaele
(actif vers 1509? – mort après 1567?)
Deux Percepteurs, probablement vers 1540
Huile sur chêne, 92,1 x 74,3 cm

Martin van Heemskerck (1498-1574)
La Vierge et saint Jean l'Evangéliste, vers 1540
Huile sur chêne, 123 x 46 cm

Bronzino (1503-1572)
Allégorie avec Vénus et Cupidon, probablement 1540-1550
Huile sur bois, 146,1 x 116,2 cm

Jacopo Bassano (actif vers 1535 – mort en 1592)
Le Bon Samaritain, probablement 1550-1570
Huile sur toile, 101,5 x 79,4 cm

Tintoret (1518-1594)
Le Lavement de pieds, vers 1556
Huile sur toile, 200,6 x 408,3 cm

Tintoret (1518-1594)
Saint Georges et le Dragon, probablement 1560-1580
Huile sur toile, 157,5 x 100,3 cm

Giovanni Battista Moroni (vers 1520/1524-1578)
Portrait de gentilhomme (Il Cavaliere dal Piede Ferito),
probablement vers 1555-1560
Huile sur toile, 202,2 x 106 cm

Giovanni Battista Moroni (vers 1520/1524-1578)
Portrait de femme (La Dama in Rosso),
probablement vers 1555-1560
Huile sur toile, 154,6 x 106,7 cm

Giovanni Battista Moroni (vers 1520/1524-1578)
Portrait d'homme («Le Tailleur»), vers 1570
Huile sur toile, 97,8 x 74,9 cm

Pieter Bruegel l'Ancien (actif vers 1550/1551 – mort en 1569)
L'Adoration des mages, 1564
Huile sur chêne, 111,1 x 83,2 cm

Paul Véronèse (probablement 1528-1588)
La Famille de Darius devant Alexandre, 1565-1570
Huile sur toile, 236,2 x 474,9 cm

Paul Véronèse (probablement 1528-1588)
Allégorie de l'Amour, II («Le Dédain»),
probablement années 1570
Huile sur toile, 186,6 x 188,5 cm

Greco (1541-1614)
Le Christ chassant les marchands du temple, vers 1600
Huile sur toile, 106,3 x 129,7 cm

Adam Elsheimer (1578-1610)
Saint Laurent conduit au martyre, vers 1600-1601
Huile sur cuivre, 26,7 x 20,6 cm

Après 1600, alors que les chefs-d'œuvre de la Renaissance italienne servent de référence pour toute l'Europe, la prépondérance de la peinture italienne est remise en cause par les artistes flamands, hollandais, espagnols et français, parallèlement à une évolution religieuse, politique et économique globale qui affecte les conditions de mécénat et de production. L'aile nord contient un grand nombre d'œuvres du Flamand Rubens. Après avoir passé huit ans en Italie, il rassemble dans sa tumultueuse inspiration le coloris vénitien, les figures classiques et michelangélesques, et une thématique italienne et flamande – ainsi dans le somptueux *Samson et Dalila* (p. 161), peint peu après son retour à Anvers en 1608. Homme de culture, il est également chargé de missions diplomatiques ; sa carrière internationale le mêle aux complexes affaires des Pays-Bas espagnols et des royaumes d'Espagne, d'Angleterre et de France. *La Paix et la Guerre* (p. 164), offert par l'artiste à Charles Ier, est un éloquent témoignage des idéaux humains de Rubens et de sa maîtrise du langage classique de l'allégorie. Anthony van Dyck, le jeune prodige, d'abord premier assistant de Rubens, est également bien représenté avec des œuvres exécutées à Anvers, Gênes et Londres. Le *Portrait équestre de Charles Ier*, grandeur nature (p. 182), résume tous les thèmes de la propagande absolutiste des Stuart.

Les provinces des Pays-Bas du nord, sous la direction de la plus puissante d'entre elles, la Hollande, s'émancipent de la férule espagnole dès le début du siècle. Avec l'adoption du calvinisme comme religion d'Etat, les peintres de ce pays perdent le mécénat traditionnel de l'Eglise. Au lieu d'un art de dévotion, de nouvelles formes patriotiques de peinture profane naissent en réponse au marché domestique, en pleine expansion. L'aile nord abrite une vaste collection de paysages de mer, de rivières et de canaux qui célèbrent la flotte et la puissance maritime hollandaises, de paysages avec des moulins à vent et des polders, de vues urbaines, de natures mortes glorifiant les produits locaux ou exotiques, ou moralisant sur la futilité des biens de ce monde, enfin de portraits d'hommes et de femmes dans leur travail ou dans leurs divertissements, chez eux, à l'étranger, ou avec les troupeaux de vaches laitières qui sont l'emblème du pays. Le plus grand Hollandais du siècle, Rembrandt van Rijn, est représenté par une vingtaine d'œuvres, parmi lesquelles des sujets héroïques tirés de la Bible et des autoportraits.

Paradoxalement, il revient à un Italien, Caravage, né et formé en Lombardie, d'avoir délivré la peinture européenne de figures du modèle idéalisant de la Renaissance classique. Arrivant pour la première fois à Rome au tournant du siècle, il invente un art où se mêlent les souvenirs de Léonard de Vinci, qui avait travaillé à Milan, et du Vénitien Giorgione, ainsi que du réalisme sans complaisance de l'art allemand, qui avait laissé une empreinte durable dans sa région natale. Mais à Rome, travaillant directement d'après des modèles qu'il trouvait dans les rues et les tavernes, exagérant à des fins dramatiques le contraste de l'ombre et de la lumière, il semble l'incarnation même d'un artiste en révolte contre le passé. Ses *Pèlerins d'Emmaüs* (p. 151) fascinent toujours les visiteurs pour l'âpre immédiateté de la vision. Bien qu'il ait eu des suiveurs italiens, Caravage devait surtout jouir d'une profonde influence auprès des étrangers qui affluaient à Rome. Quand, après le meurtre d'un homme, il part pour Naples, sous domination espagnole, son influence gagne la péninsule ibérique.

Bien que nous ne sachions pas précisément comment elle a pu être héritée dès cette époque, la manière de Caravage transparaît dans les évocations par le jeune Velàzquez de la vie populaire à Séville, telles la *Scène de cuisine avec le Christ dans la maison de Marthe et Marie* (p. 166). Le style de l'artiste devait considérablement évoluer, comme le montrent la fameuse *Vénus «Rokeby»* (p. 169) et l'«impressionniste» *Philippe IV d'Espagne en marron et argent* (p. 168), sous l'influence des tableaux vénitiens des collections royales, qu'il connut une fois devenu le peintre de la cour à Madrid. Mais le ténébrisme théâtral de Caravage subsiste dans les œuvres du Sévillan contemporain Zurbarán.

Les paysages poétiques d'Elsheimer, exposés dans l'aile ouest, sont à l'origine du genre nouveau du paysage «idéal» ou «poétique», rendu internationalement célèbre par deux nordiques de langue française établis à Rome : Claude Gellée, du duché de Lorraine, et Poussin, de Normandie. Dans leurs œuvres destinées à des aristocrates, des princes de l'Eglise ou de petits groupes d'amateurs érudits, la campagne romaine apparaît comme une terre d'idylle, où les fables et les rites anciens reprennent vie, où les hommes et les dieux vivent dans l'harmonie naturelle retrouvée. Tous deux devaient marquer les destins de la peinture européenne ; les tableaux du Lorrain allaient être copiés par les paysagistes anglais du siècle suivant, pour les grandes demeures à la campagne.

Caravage (1571-1610)
Les Pèlerins d'Emmaüs, 1601
Huile et tempera sur toile, 141 x 196,2 cm

Annibale Carrache (1560-1609)
*Le Christ apparaissant à saint Pierre sur la voie Appienne
(Domine, Quo Vadis?)*, 1601-1602
Huile sur bois, 77,4 x 56,3 cm

Annibale Carrache (1560–1609)
La Lamentation sur le Christ mort («Les Trois Marie»), vers 1604
Huile sur toile, 92,8 x 103,2 cm

Hendrick Avercamp (1585-1634)
Scène d'hiver avec des patineurs, près d'un château, vers 1608-1609
Huile sur chêne, diamètre : 40,7 cm

Gerrit van Honthorst (1592-1656)
Le Christ devant le grand prêtre, vers 1610
Huile sur toile, 272 x 183 cm

Joachim Wtewael (1566-1638)
Le Jugement de Pâris, 1615
Huile sur chêne, 59,8 x 79,2 cm

Guido Reni (1575-1642)
Loth et ses filles quittant Sodome, vers 1615-1516
Huile sur toile, 111,2 x 149,2 cm

Dominiquin (1581-1641)
Apollon tuant les Cyclopes, 1616-1618
Fresque, transférée sur toile et montée sur planche
316,3 x 190,4 cm

Guerchin (1591–1666)
Le Christ mort pleuré par deux anges, vers 1617–1618
Huile sur cuivre, 36,8 × 44,4 cm

Pieter Lastman (1583–1633)
Junon découvrant Jupiter avec Io, 1618
Huile sur chêne, 54,3 x 77,8 cm

Peter Paul Rubens (1577-1640)
Samson et Dalila, vers 1609
Huile sur bois, 185 x 205 cm

Peter Paul Rubens (1577-1640)
Chasse au lion, vers 1616-1617
Huile sur chêne, 73,6 x 105,4 cm

Peter Paul Rubens (1577-1640)
Portrait de Susanna Lunden (?) («Le Chapeau de paille»),
probablement 1622-1625
Huile sur chêne, 79 x 54,5 cm

Peter Paul Rubens (1577-1640)
La Paix et la Guerre, 1629-1630
Huile sur toile, 203,5 x 298 cm

Peter Paul Rubens (1577-1640)
Paysage d'automne avec une vue du château de Steen au petit matin,
probablement 1636
Huile sur chêne, 131,2 x 229,2 cm

Diego Velázquez (1599-1660)
Scène de cuisine avec le Christ dans la maison de Marthe et Marie,
probablement 1618
Huile sur toile, 60 x 103,5 cm

Diego Velázquez (1599-1660)
Le Christ après la Flagellation contemplé par l'Ame chrétienne,
probablement 1628-1629
Huile sur toile, 165,1 x 206,4 cm

Diego Velázquez (1599-1660)
Philippe IV d'Espagne en marron et argent, vers 1631-1632
Huile sur toile, 195 x 110 cm

Diego Velázquez (1599-1660)
La Toilette de Vénus («Vénus Rokeby»), 1647-1651
Huile sur toile, 122,5 x 177 cm

Frans Hals (vers 1580?-1666)
Jeune Homme tenant un crâne, 1626-1628
Huile sur toile, 92,2 x 88 cm

Hendrick ter Brugghen (1588?-1629)
Le Concert, vers 1626
Huile sur toile, 99,1 x 116,8 cm

Francisco de Zurbarán (1598-1664)
Sainte Marguerite d'Antioche, 1630-1634
Huile sur toile, 163 x 105 cm

Frères Le Nain (Antoine [vers 1600-1648], Louis [vers 1603-1648], et Mathieu [vers 1606-1677])
L'Adoration des bergers, probablement fin des années 1630
Huile sur toile, 109,5 x 137,4 cm

Nicolas Poussin (1594-1665)
Le Triomphe de Pan, 1636
Huile sur toile, 134 x 145 cm

Nicolas Poussin (1594-1665)
Moïse sauvé des eaux, 1651
Huile sur toile, 116 x 177,5 cm

Philippe de Champaigne (1602-1674)
Le Cardinal Richelieu, vers 1637
Huile sur toile, 259,7 x 177,8 cm

Eustache Le Sueur (1616-1655)
*Le Christ en Croix avec la Madeleine, la Vierge et
saint Jean l'Evangéliste*, vers 1642
Huile sur toile, 109,5 x 73,8 cm

Rembrandt (1606–1669)
Saskia van Uylenburgh en costume arcadien, 1635
Huile sur toile, 123,5 x 97,5 cm

Rembrandt (1606-1669)
Le Festin de Balthazar, vers 1636-1638
Huile sur toile, 167,6 x 209,2 cm

Rembrandt (1606–1669)
Autoportrait à l'âge de trente-quatre ans, 1640
Huile sur toile, 102 x 80 cm

Rembrandt (1606-1669)
Femme se baignant dans un ruisseau (Hendrickje Stoffels?), 1654
Huile sur chêne, 61,8 x 47 cm

Anthony van Dyck (1599-1641)
Portrait équestre de Charles Iᵉ, vers 1637-1638
Huile sur toile, 367 x 292,1 cm

Anthony van Dyck (1599-1641)
Lord John Stuart et son frère, Lord Bernard Stuart, vers 1638
Huile sur toile, 237,5 x 146,1 cm

Bernardo Strozzi (1581–1644)
La Renommée, probablement 1635–1636
Huile sur toile, 106,7 x 151,7 cm

Sassoferrato (1609-1685)
La Vierge en prière, 1640-1650
Huile sur toile, 73 x 57,7 cm

Pieter Saenredam (1597-1665)
L'Intérieur de la Buurkerk à Utrecht, 1644
Huile sur chêne, 60,1 x 50,1 cm

David Teniers le Jeune (1610–1690)
Les Quatre Saisons : l'hiver, vers 1644
Huile sur cuivre, 22 x 16,3 cm

Claude Lorrain (1604/1605?-1682)
Mariage d'Isaac et Rébecca («Le Moulin»), 1648
Huile sur toile, 149,2 x 196,9 cm

Claude Lorrain (1604/1605?-1682)
Port avec l'embarquement de la reine de Saba, 1648
Huile sur toile, 148,6 x 193,7 cm

Jan Jansz, Treck (1605/1606-1652)
Vanité, 1648
Huile sur chêne, 90,5 x 78,4 cm

Carlo Dolci (1616-1686)
L'Adoration des mages, 1649
Huile sur toile, 117 x 92 cm

Jan van de Cappelle (1626-1679)
Un voilier hollandais tirant une salve pour le départ d'une barque
et plusieurs petits bateaux à l'ancre, 1650
Huile sur chêne, 85,5 x 114,5 cm

Aelbert Cuyp (1620-1691)
Paysage de rivière avec cavalier et paysans,
probablement 1650-1660
Huile sur toile, 123 x 241 cm

Nicolaes Maes (1634-1693)
Le Christ bénissant les enfants, 1652-1653
Huile sur toile, 206 x 154 cm

Nicolaes Maes (1634-1693)
Intérieur avec une servante endormie et sa maîtresse
(«La Servante paresseuse»), 1655
Huile sur chêne, 70 x 53,3 cm

Carel Fabritius (1622-1654)
*Une vue de Delft, avec boutique de marchand
d'instruments de musique*, 1652
Huile sur toile montée sur noyer, 15,5 x 31,7 cm

Carel Fabritius (1622–1654)
Jeune Homme en toque de fourrure et cuirasse (Autoportrait ?), 1654
Huile sur toile, 70,5 x 61,5 cm

Willem Kalf (1619-1693)
Nature morte avec la corne à boire de la Guilde des archers de
saint Sébastien, un homard et des verres, vers 1653
Huile sur toile, 86,4 x 102,2 cm

Nicolaes Berchem (1620-1683)
Paysans avec quatre bœufs et une chèvre à un gué
près d'un aqueduc en ruines, probablement 1655-1660
Huile sur chêne, 47,1 x 38,7 cm

Salomon van Ruysdael (1600/1603?-1670)
Vue de Deventer depuis le nord-ouest, 1657
Huile sur bois, 51,8 x 76,5 cm

Pieter de Hooch (1629-1684)
Cour de maison à Delft, 1658
Huile sur toile, 73,5 x 60 cm

Jan Steen (1625/1626-1679)
Les Effets de l'intempérance, vers 1663-1665
Huile sur bois, 76 x 106,5 cm

Gerard ter Borch (1617-1681)
Femme jouant du théorbe devant deux hommes, vers 1667-1668
Huile sur toile, 67,6 x 57,8 cm

Jacob van Ruisdael (1628/1629?-1682)
Paysage avec un château en ruines et une église, vers 1665-1670
Huile sur toile, 109 x 146 cm

Gerrit Dou (1613-1675),
La Boutique du marchand de volailles, vers 1670
Huile sur chêne, 58 x 46 cm

Jan Vermeer (1632-1675)
Jeune Femme assise à son virginal, vers 1670
Huile sur toile, 51,5 x 45,5 cm

Jan Vermeer (1632-1675)
Jeune Femme debout à son virginal, vers 1670
Huile sur toile, 51,7 x 45,2 cm

Bart. Murillo seipsum depin
gens pro filiorum votis acpraei
bus Explendis

Bartolomé Esteban Murillo (1617-1682)
Autoportrait, probablement 1670-1673
Huile sur toile, 122 x 107 cm

Luca Giordano (1634–1705)
Persée changeant en pierre Phinée et sa suite,
début des années 1680
Huile sur toile, 285 x 366 cm

Meindert Hobbema (1638-1709)
L'Allée à Middelharnis, 1689
Huile sur toile, 103,5 x 141 cm

Willem van Mieris (1662-1747)
Femme et colporteur dans une cuisine, 1713
Huile sur chêne, 49,5 x 41 cm

Le XVIIIᵉ siècle voit, partout en Europe, la fondation des académies et, simultanément, le développement de marchands professionnels de couleurs et de tableaux, événements qui signent le divorce potentiel entre l'«art» et le «métier» artisanal du peintre. Ce dernier en venant à moins bien connaître les propriétés physiques des pigments et des matériaux, la technique rompt peu à peu avec la tradition, pour le meilleur et pour le pire. Les volatils vernis rouges, dont Reynolds se sert pour les carnations de tant de ses portraits, ont pâli si vite que ses contemporains se plaignaient déjà de ce que «ses tableaux meurent avant le modèle». Une centaine d'années plus tard, toutefois, *Canotage sur la Seine* de Renoir (p. 266), vers 1879-1880, juxtapose de nouveaux pigments synthétiques, directement sortis du tube, démontrant avec éclat la toute récente «loi des contrastes simultanés». Monet, en incorporant du sable de manière fortuite dans la rapide exécution de sa *Plage à Trouville* (p. 269), en transfigure le charme spontané.

Mais si les techniques des anciens maîtres sombrent largement dans l'oubli, les catégories qui formaient la base de leurs conceptions – peinture d'histoire, c'est-à-dire narration d'un récit noble, religieux ou non ; portrait ; scènes de genre aux sujets quotidiens ; paysage ; et nature morte – restaient codifiées selon une hiérarchie des valeurs. Si prégnantes sont les conventions s'attachant à chacune de ces catégories, pour les artistes et pour le public, qu'elles restent, même indirectement, porteuses de sens. Par exemple, les grandes vues vénitiennes de Canaletto, de par leur imposant format, se veulent des souvenirs solennels du Grand Tour d'Italie cher aux Anglais du XVIIIᵉ siècle, davantage que les «caprices» plus intimes de Guardi, destinés à l'amateur solitaire.

Les grands tableaux, grandeur nature, restent associés à la peinture d'histoire et au portrait d'apparat. Lorsque Seurat, dans *Une baignade, Asnières* de 1884 (p. 276), interprète sur une échelle monumentale une scène de genre traditionnellement dévolue à un format modeste, la représentation des loisirs, l'effet fit sensation, car il conférait à ses ouvriers la majesté réservée aux héros et aux monarques. Le même procédé, chez Joseph Wright of Derby, en 1768, dans *Expérience sur un oiseau dans une pompe à air* (p. 234), pointe la dimension métaphysique de cette scène de famille, où des parents et des amis contemplent une démonstration scientifique : la réunion intime ne se révèle rien de moins qu'une méditation sur la vie et la mort. Inversement, le tragique sous-jacent au *Mariage à la mode* de Hogarth, peint avant 1743 (p. 223), tend à la satire virulente, car la narration s'égrène sur une série de tableautins chargés de détails, comme ceux de la peinture de genre du siècle précédent.

La longue tradition de peinture de chevalet, malgré ses conventions bien établies, rend l'innovation plus facile. Là où la *Nature morte aux oranges et aux noix* de Meléndez, en 1772 (p. 239), insiste sur les volumes géométriques et la beauté tactile des objets disposés dans un espace tridimensionnel – enjeux traditionnels de la nature morte –, le prix du rendu par Picasso en 1914 de formes et de textures colorées, disposées de manière plane, vient pour une part de ce que le spectateur reconnaît soudain ses constituants éclatés en fragments : *Plat de fruits, bouteille et violon* (p. 279). Si l'illusion de la réalité, convention maintenant bien tombée, procure autant de plaisir, c'est également le cas de la perfection technique, et de son autonomie par rapport à la réalité externe. Le rendu illusionniste, la virtuosité technique éclatent tous deux avec verve chez Ingres, dans son monumental portrait de *Madame Moitessier* de 1856 (p. 252). Les formes et les matières des vêtements de la femme, ses bijoux, sa peau, le voluptueux sofa où elle est assise et le décor du fond sont rendus avec une minutie quasi obsessionnelle, ce qui n'empêche pas Ingres d'introduire une utopie visuelle : le profil du modèle apparaît dans un miroir qui, en réalité, ne pourrait la refléter que de dos.

De plus en plus, au long des XVIIIe et XIXe siècles, l'art joue avec des références à l'art ancien, en rapport non seulement à la tradition et à des conventions admises, mais à des œuvres bien précises. *Lady Cockburn et ses trois fils aînés*, par Reynolds, en 1773 (p. 227), trouve son sens profond en faisant écho à une allégorie de la Charité par van Dyck. Le caractère poignant du *Téméraire* (p. 256) de Turner provient en partie de sa ressemblance avec les héroïques scènes d'embarquement du Lorrain (p. 189). La *Décollation de saint Jean-Baptiste*, de Puvis de Chavannes, de 1869 environ (p. 258), avec ses couleurs mates et ses formes en aplat, est censée évoquer la solennité des fresques italiennes du XIVe siècle. Constable se tourne vers Rubens, Lawrence vers Titien et van Dyck ; les *Grandes Baigneuses* de Cézanne (p. 273) aspirent à la sereine sensualité des nymphes de la Venise renaissante ; Matisse modifie son *Portrait de Greta Moll* (p. 279) après avoir étudié son Véronèse au Louvre. L'«art muséal» ne signe pas la mort de l'art, mais rend possibles sa pérennité et son renouvellement.

Jean-Antoine Watteau (1684-1721)
La Gamme d'amour, 1715-1718
Huile sur toile, 50,8 x 59,7 cm

Canaletto (1697–1768)
Venise : Campo San Vidal et Santa Maria della Carità
(«La Cour du maçon»), 1726–1730
Huile sur toile, 123,8 x 162,9 cm

Canaletto (1697–1768)
Venise : le bassin de Saint-Marc le jour de l'Ascension, vers 1740
Huile sur toile, 121,9 x 182,8 cm

Jean-Siméon Chardin (1699-1779)
La Jeune Maîtresse d'école, probablement 1735-1736
Huile sur toile, 61,6 x 66,7 cm

Jean-Siméon Chardin (1699-1779)
Le Château de cartes, vers 1736-1737
Huile sur toile, 60,3 x 71,8

William Hogarth (1697-1764)
Les Enfants Graham, 1742
Huile sur toile, 160,5 x 181 cm

William Hogarth (1697-1764)
Le Mariage à la Mode : I, le contrat de mariage, avant 1743
Huile sur toile, 69,9 x 90,8 cm

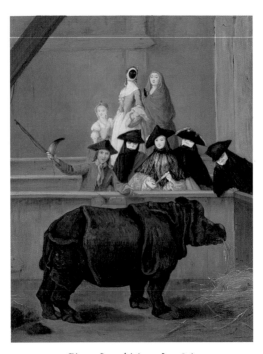

Pietro Longhi (1702?-1785)
Exposition d'un rhinocéros à Venise, probablement 1751
Huile sur toile, 60,4 x 47 cm

Giovanni Battista Tiepolo (1696-1770)
Allégorie avec Vénus et le Temps, vers 1754-1758
Huile sur toile, 292 x 190,4 cm

Sir Joshua Reynolds (1723-1792)
Le Capitaine Robert Orme, 1756
Huile sur toile, 240 x 147,3 cm

Sir Joshua Reynolds (1723-1792)
Lady Cockburn et ses trois fils aînés, 1773
Huile sur toile, 141,6 x 113 cm

Sir Joshua Reynolds (1723-1792)
Le Colonel Banastre Tarleton, 1782
Huile sur toile, 236,2 x 145,4 cm

Thomas Gainsborough (1727-1788)
La Forêt de Gainsborough («Cornard Wood»), vers 1748
Huile sur toile, 121,9 x 154,9 cm

Thomas Gainsborough (1727-1788)
Mrs. Siddons, vers 1783-1785
Huile sur toile, 126,4 x 99,7 cm

Thomas Gainsborough (1727-1788),
Mr. et Mrs. William Hallett («La Promenade matinale»), vers 1785
Huile sur toile, 236,2 x 179,1 cm

Jean-Honoré Fragonard (1732-1806)
*Psyché montrant à ses sœurs les présents
qu'elle a reçus de l'Amour*, 1753
Huile sur toile, 168,3 x 192,4 cm

François-Hubert Drouais (1727-1775)
Madame de Pompadour, 1763-1764
Huile sur toile, 217 x 156,8 cm

Joseph Wright of Derby (1734-1797)
Expérience sur un oiseau dans une pompe à air, 1768
Huile sur toile, 182,9 x 243,9 cm

Joseph Wright of Derby (1734-1797)
Mr. et Mrs. Thomas Coltman, vers 1770-1772
Huile sur toile, 127 x 101,6 cm

George Stubbs (1724-1806)
Les Familles Milbanke et Melbourne, vers 1769
Huile sur toile, 97,2 x 149,3 cm

Francesco Guardi (1712-1793)
Caprice architectural, 1770-1778
Huile sur toile, 54,2 x 36,2 cm

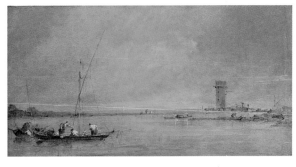

Francesco Guardi (1712–1793)
Vue de la lagune à Venise, avec la tour de Malghera,
probablement années 1770
Huile sur bois, 21,3 x 41,3 cm

Luis Meléndez (1716-1780),
Nature morte aux oranges et aux noix, 1772
Huile sur toile, 61 x 81,3 cm

Elisabeth Vigée-Lebrun (1755–1842)
Autoportrait au chapeau de paille, après 1782
Huile sur toile, 97,8 x 70,5 cm

Sir Thomas Lawrence (1769-1830)
La Reine Charlotte, 1789-1790
Huile sur toile, 239,4 x 147,3 cm

Louis-Léopold Boilly (1761-1845)
Jeune Fille à sa fenêtre, après 1799
Huile sur toile, 55,2 x 45,7 cm

Francisco de Goya (1746–1828)
Don Andrés del Peral, avant 1798
Huile sur peuplier, 95 x 65,7 cm

Francisco de Goya (1746-1828)
Une scène de «El Hechizado por Fuerza»
(«L'Ensorcelé malgré lui»), 1798
Huile sur toile, 42,5 x 30,8 cm

Francisco de Goya (1746-1828)
Le Duc de Wellington, 1812-1814
Huile sur acajou, 64,3 x 52,4 cm

Jacques-Louis David (1748-1825)
Portrait de Jacobus Blauw, 1795
Huile sur toile, 92 x 73 cm

Jacques-Louis David (1748-1825),
Portrait de la vicomtesse Vilain XIIII et de sa fille, 1816
Huile sur toile, 95 x 76 cm

Caspar David Friedrich (1774-1840)
Paysage d'hiver, probablement 1811
Huile sur toile, 32,5 x 45 cm

John Constable (1776-1837)
Le Char à foin, 1821
Huile sur toile, 130,2 x 185,4 cm

John Constable (1776–1837)
La Cathédrale de Salisbury et la maison de
l'archidiacre Fisher depuis l'Avon, probablement 1821
Huile sur toile, 52,7 x 76,8 cm

John Constable (1776-1837)
Le Champ de blé, 1826
Huile sur toile, 142,9 x 121,9 cm

Jean–Auguste–Dominique Ingres (1780–1867)
Madame Moitessier, 1856
Huile sur toile, 120 x 92,1 cm

Eugène Delacroix (1798-1863)
Ovide chez les Scythes, 1859
Huile sur toile, 87,6 x 130,2 cm

Paul Delaroche (1795–1856)
L'Exécution de Jane Grey, 1833
Huile sur toile, 246 x 297 cm

Jean-Baptiste-Camille Corot (1796-1875)
Paysans sous les arbres à l'aube, vers 1840-1845
Huile sur toile, 28,2 x 39,7 cm

Joseph Mallord William Turner (1775-1851)
*Le Vaisseau de ligne «Le Téméraire» remorqué à son dernier
mouillage pour y être démoli, 1838*, 1838-1839
Huile sur toile, 90,8 x 121,9 cm

Joseph Mallord William Turner (1775-1851)
Pluie, vapeur et vitesse –
Le chemin de fer «Great Western», avant 1844
Huile sur toile, 90,8 x 121,9 cm

Pierre Puvis de Chavannes (1824-1898)
La Décollation de saint Jean-Baptiste, vers 1869
Huile sur toile, 240 x 316,2 cm

Edouard Manet (1832-1883)
L'Exécution de Maximilien, vers 1867-1868
Huile sur toile (quatre fragments sur
un support unique), 193 x 284 cm

Edouard Manet (1832–1883)
Eva Gonzalès, 1870
Huile sur toile, 191,1 x 133,4 cm

Edouard Manet (1832–1883)
Coin de Café-Concert, probablement 1878–1880
Huile sur toile, 97,1 x 77,5 cm

Alfred Sisley (1839–1899)
L'Abreuvoir de Marly-le-Roi, probablement 1875
Huile sur toile, 49,5 x 64,5 cm

Camille Pissarro (1830-1903)
Le Boulevard Montmartre de nuit, 1897
Huile sur toile, 53,3 x 64 ,8 cm

Edgar Degas (1834-1917)
Hélène Rouart dans l'atelier de son père, vers 1886
Huile sur toile, 161 x 120 cm

Edgar Degas (1834-1917)
Après le bain, femme s'essuyant, probablement 1888-1892
Pastel sur papier monté sur carton, 103,8 x 98,4 cm

Pierre-Auguste Renoir (1841-1919)
Canotage sur la Seine, vers 1879-1880
Huile sur toile, 71 x 92 cm

Pierre-Auguste Renoir (1841-1919)
Les Parapluies, vers 1881-1886
Huile sur toile, 180,3 x 114,9 cm

Claude Monet (1840-1926),
Baigneurs à La Grenouillère, 1869
Huile sur toile, 73 x 92 cm

Claude Monet (1840-1926)
La Plage à Trouville, 1870
Huile sur toile, 37,5 x 45,7 cm

Claude Monet (1840-1926)
La Gare Saint-Lazare, 1877
Huile sur toile, 54,3 x 73,6 cm

Claude Monet (1840–1926)
Le Bassin aux nymphéas, 1899
Huile sur toile, 88,3 x 93,1 cm

Paul Cézanne (1839-1906)
Le Poêle dans l'atelier, probablement 1865-1870
Huile sur toile, 41 x 30 cm

Paul Cézanne (1839-1906)
Les Grandes Baigneuses, vers 1900-1906
Huile sur toile, 127,2 x 196,1 cm

Henri Rousseau (1844-1910)
Surpris!, 1891
Huile sur toile, 129,8 x 161,9 cm

Paul Gauguin (1848-1903)
Vase de fleurs, 1896
Huile sur toile, 64 x 74 cm

Georges Seurat (1859-1891)
Une baignade, Asnières, 1884
Huile sur toile, 201 x 300 cm

Vincent van Gogh (1853-1890)
Tournesols, 1888
Huile sur toile, 92,1 x 73 cm

Henri Matisse (1869-1954)
Portrait de Greta Moll, 1908
Huile sur toile, 93 x 73,5 cm

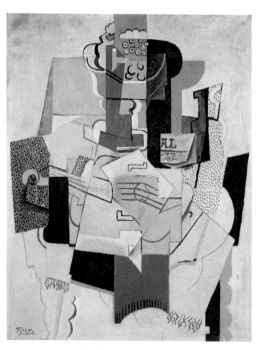

Pablo Picasso (1881-1973)
Plat de fruits, bouteille et violon, 1914
Huile sur toile, 92 x 73 cm

Index des illustrations

Titre de l'ouvrage original : *Treasures of the National Gallery, London*
Traduit de l'anglais (États-Unis) par : Xavier Carrère

Version française : © 1996, Editions Abbeville, Paris
Mise en page de l'édition française : X-Act, Paris

Dépôt légal 4e trimestre 1996
ISBN 2-87946-115-4
Imprimé en Italie